MODÈLES D'Ornements

POUR COMPOSITIONS DÉCORATIVES

Tous les décors de cet ouvrage (aquarelles et dessins)
sont entièrement réalisés par l'auteur.

Les dessins stylisés sont une interprétation
 personnelle d'après les motifs classiques.

Les photographies de l'auteur travaillant
dans son atelier, ont été réalisées par
son mari Claude Perret, qu'elle remercie
de sa coopération.

Annick Perret

MODÈLES D'Ornements

POUR COMPOSITIONS DÉCORATIVES

Éditions Didier CARPENTIER

Annick Perret

Annick Perret, artiste peintre sur porcelaine et auteur de plusieurs ouvrages, est née le 19 mai 1944, en Normandie.

Après des études commerciales et plusieurs années d'activité dans la haute couture parisienne, elle s'établit à Bâle et se consacre à des activités artistiques.

De 1966 à 1974, elle suit des cours de peinture sur porcelaine et sur faïence dans différents ateliers bâlois, puis, de 1975 à 1980, des cours d'art moderne, de dessin et de peinture (huile, aquarelle,...) à l'Atelier Fanal, sous la direction du peintre Vacossin.

De 1977 à 1993, elle enseigne la peinture sur porcelaine et faïence en France (Alsace...) et à l'étranger (Suisse, Hollande,...). Elle pratique la technique classique d'après des décors anciens de manufactures porcelainières et faïencières et les techniques contemporaines.

Depuis 1994, elle vit en Franche-Comté où elle a son atelier et, s'intéresse à la publication d'ouvrages artistiques et à la création.

Elle expose régulièrement ses tableaux réalisés sur des plaques de porcelaine et de faïence, en France, en Allemagne et en Suisse.

Elle a reçu de nombreuses distinctions, parmi lesquelles la Médaille d'argent des Meilleurs Ouvriers de France en 1986.

Avant-propos

Un grand intérêt se manifeste aujourd'hui pour les décors floraux,
guirlandes, rubans... véritable raffinement à l'ancienne.

"La beauté, sous toutes ses formes, est une source inépuisable de joie
pour qui sait la découvrir" s'exprimait Alexis Carrel. Cette réflexion m'a permis
d'apercevoir les ressources infinies que possèdent les musées,
entre autres, les collections de céramiques.

Les merveilleux modèles qui sont représentés dans cet ouvrage
proviennent de porcelaines et de faïences anciennes. Je tiens à remercier
leurs conservateurs qui m'ont donné la possibilité de m'inspirer de ces exemples.

Mon but a été de développer des compositions dessinées
et peintes à l'aquarelle par moi-même. Ces motifs floraux du XVIIIeme siècle
peuvent servir comme parures décoratives à exploiter sur différents supports
comme la peinture sur porcelaine et faïence, sur céramique (décor à froid),
sur bois, sur soie, tissu, broderie, aquarelle, gouache, etc... Ils peuvent également
vous être utiles pour une interprétation personnelle de style classique
ou plus contemporaine suivant vos désirs.

La réalisation détaillée de certains sujets fleuris est décrite dans cet ouvrage.

Je souhaite que le graphisme délicat de ces illustrations pleines de fraîcheur
et de romantisme, puissent, à votre tour, vous donner des idées pour toutes sortes
de décorations ou d'ornementations et, vous aider à concevoir le décor de votre choix.

Chapitre 1

*L'étude des fleurs, des guirlandes,
des rubans et des nœuds
avec leurs conseils techniques*

Introduction

*Avant d'entreprendre la composition d'un bouquet, d'une guirlande florale, d'un ruban,
je vous suggère de vous exercer en peignant quelques motifs, cela vous permettra
de vous familiariser avec les différentes étapes identiques
pour toutes les réalisations et d'affiner votre dextérité
dans le maniement des pinceaux.*

Les trois différentes étapes pour ces décors

Le tracé au crayon sur le support choisi

Pour l'ébauche du dessin que vous souhaitez de contours précis mais de réalisation aisée, je vous suggère de décalquer le motif désiré. Photocopiez-le ensuite en réduction ou en agrandissement au format voulu. Redécalquez le motif. Ceci fait, placez sous le calque une feuille de papier carbone et fixez-les sur le support concerné. Vous pourrez alors, à l'aide d'une pointe de stylo à bille, reporter aisément votre dessin sur le support. Si vous êtes habile, dessinez à main levée.

L'ébauchage ou peinture de fond de tous les modèles

Il est peint à l'aide d'un pinceau moyen ou large, selon la taille du décor.

Les couleurs doivent être posées en transparence, les couches de peinture se fondant les unes dans les autres. *(Observez bien le modèle aquarellé).*

L'ombrage ou peinture de finition

Il est réalisé à l'aide d'un pinceau plus fin que celui utilisé pour l'ébauchage. Les fleurs, en général, sont rehaussées avec la même couleur, plus soutenue, et, modelées par de fines hachures dégradées qui suivent la forme des pétales.

Le feuillage est légèrement souligné, ombré de brun ou de gris moyen. Ombres et lumières sont données dans les rubans, les nœuds et leurs bords sont tracés d'un trait fin ou piquetés de points.

La rose églantine

*D'après le bouquet "fleurs au naturel",
style Chantilly (voir page 56)*

Réalisation

• Esquissez la rose au crayon (1).

• La couleur pourpre rose clair est déposée sur les pétales en fine couche ; prenez soin que la lumière vienne toujours de votre droite.

• Le feuillage est peint en vert pomme (2).

• Soulignez délicatement les pétales avec du pourpre rose moyen.

• Au pinceau fin, accentuez en brun les nervures des feuilles et la tige de la fleur (3).

La rose ouverte

*D'après "la guirlande florale",
style Saint-Clément (voir page 51)*

Réalisation

• Esquissez le dessin (1).

• A l'aide d'un pinceau moyen et de la couleur pourpre rose clair, ébauchez les pétales extérieurs de la rose, en exécutant un dégradé allant du ton le plus clair vers le ton le plus soutenu.

• Modelez l'intérieur de la fleur, en sachant que la lumière vient de droite.

• Le cœur est peint par de petites touches roses et le centre en jaune d'argent (2).

• Au pinceau fin, avec la couleur pourpre rose moyen, rehaussez les contours des pétales ainsi que leurs formes pour donner de la plasticité à la rose (3).

La rose églantine

La rose ouverte

Le narcisse

D'après "le narcisse",
style Meissen (voir page 72)

1

2

3

Réalisation

- Esquissez la fleur au crayon (1).

- Ebauchez la fleur en gris clair et peignez la couronne en jaune d'argent. Rehaussez le bord de violet clair. Le sens des coups de pinceau va de l'extérieur vers le centre de la fleur (2).

- Modelez les pétales en accentuant leurs formes par des touches de couleur violet clair, ainsi que par des nervures en gris moyen appliquées au pinceau fin. Cernez les contours en gris. Ombrez le fond de la couronne de brun. Rehaussez de gris la feuille filiforme (3).

La tulipe

D'après le "bouquet à la pivoine et à la tulipe",
style Meissen (voir page 66)

1

2

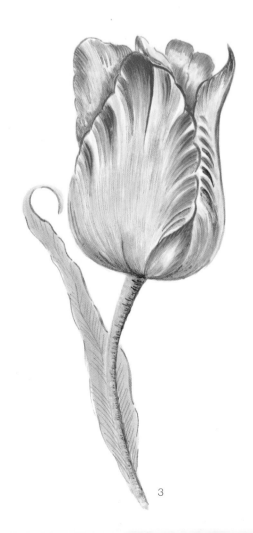

3

Réalisation

● Esquissez la tulipe au crayon (1).

● Préparez les couleurs suivantes
Pour la tulipe : pourpre clair, jaune moyen,
gris clair, violet clair et vert mousse
qui sera déposé à la base de la fleur.
Pour le feuillage : vert tendre et vert mousse.
A l'aide d'un large pinceau, ébauchez la fleur
avec les couleurs prévues.
Commencez par les pétales de l'arrière-plan,
avant d'entreprendre ceux de l'avant-plan (2).

● Accentuez les couleurs et les détails.
Ombrez en gris moyen, violet clair, poupre moyen,
vert mousse et jaune, en suivant la forme des pétales.
Rehaussez de gris la tige et la feuille (3).

L'anémone double

*D'après le bouquet "fleurs retenues par un nœud",
style Strasbourg (voir page 60)*

Réalisation

● Esquissez la fleur au crayon (1).

● Préparez les couleurs suivantes : violet d'or clair
et moyen, jaune moyen, brun moyen, vert.
Ebauchez les six sépales jaunes. Effectuez, par petites
touches, au pinceau moyen, les multiples pétales en violet
d'or clair. Peignez les feuilles palmées et la tige en vert (2).

● A l'aide d'un pinceau fin, ombrez, avec le brun moyen,
l'intérieur des sépales jaunes. La couleur doit se fondre
en petits traits légers.
Les contours des pétales, dont le côté gauche opposé
à la lumière est un peu plus accentué, sont détaillés
et rehaussés en violet d'or moyen.
Ombrez le feuillage avec le brun moyen (3).

1

2

3

L'iris

*D'après le "bouquet à l'iris",
style Zürich (voir page 45)*

Réalisation

• Esquissez la fleur au crayon (1).

• Ebauchez l'iris en violet d'or clair.
Travaillez la forme des pétales en accentuant leurs cour-
bures et en prenant soin que les coups de pinceau se fon-
dent les uns dans les autres. Peignez de l'extérieur vers
l'intérieur. Les étamines sont peintes en jaune moyen et
la longue feuille en vert légèrement bleuté (2).

• Rehaussez certaines parties des pétales en violet d'or
moyen, en contraste des zones laissées en clair ce qui
donnera à la fleur volume et luminosité. Accentuez les
étamines en appliquant au pinceau fin le brun et ombrez
la feuille et la tige en gris (3).

2

Réalisation

• Tracez au crayon le ruban et l'entrelacs floral, après avoir divisé le pourtour du support en sections égales, si celui-ci est circulaire. La longueur de chaque section correspond à la distance entre deux sommets consécutifs du ruban, dont le tracé devra être ajusté par réduction ou agrandissement du motif (1).

• Préparez les couleurs suivantes
Pour le ruban : vert d'eau.
Pour la guirlande : pourpre rose, jaune moyen, rouge capucine, bleu, violet, gris, brun sépia, vert feuillage, vert émeraude et vert tendre.
L'entrelacs de feuillage se rattachant aux fleurs et au ruban, est en vert tendre agrémenté de petits points en pourpre rose.

1

3

Commencez par l'ébauche des fleurs et des feuilles à l'aide d'un pinceau moyen.
Le ruban ondoyant est peint en vert d'eau avec un pinceau large. Donnez-lui des contrastes d'ombre sur les parties opposées à la lumière (2).

• Terminez le décor au pinceau fin, ombrez les fleurs et le feuillage. Retouchez et ombrez la partie supérieure et inférieure du ruban. Piquetez les bords par de petits points de couleur or. Remplissez l'espace entre les fleurs et la guirlande, d'un fond de points or, posés en cercle (3). *(Voir application page 37).*

Cette décoration est appelée "œils-de-perdrix" en peinture sur porcelaine.

Ruban

Réalisation

● L'esquisse doit être dessinée et reportée au crayon avec exactitude sur le support choisi (1).

● Préparez les couleurs suivantes

Pour le feuillage : violet d'or clair et moyen, bleu clair et foncé, rouge capucine, jaune d'œuf, brun moyen et vert.

Pour le ruban : jaune d'œuf, violet d'or clair, moyen, foncé. L'ébauchage de la guirlande décorative exige de la régularité dans l'application harmonieuse des couleurs de fond.

Après avoir terminé l'ébauchage de l'entrelacs composé de fleurs et de feuilles, rehaussez celui du ruban qui a été peint au pinceau large, en violet d'or clair et jaune. Ceci en appliquant une zone d'ombre violet, là où sa perspective se rétrécit (2).

● Pour terminer le motif, ombrez au pinceau fin, en brun moyen, toutes les fleurs et les nervures du feuillage. Tracez une ligne ondulée au milieu du ruban, en violet d'or foncé et piquetez ses bords de petits points (3). *(Voir aussi page 42).*

Nœuds

*Ces ornements, faciles à composer, apporteront une touche finale à un bouquet,
une guirlande, un médaillon ou seront tout simplement posés seuls.
Les quatre nœuds sont repris des bouquets et des guirlandes florales représentés dans cet ouvrage :
les nœuds de couleurs (bleu, violet et pourpre) des modèles "rubans et nœuds" page 30 ;
le grand nœud bleu du modèle "fleurs retenues par un nœud" page 60.*

1

2

3

1

2

3

1

2

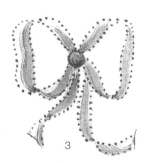

3

Réalisation

• Esquissez les contours du nœud au crayon (1).

• A l'aide d'un pinceau moyen ou large, ébauchez avec la couleur choisie la surface du ruban en modelant son relief (2).

• Accentuez le contraste entre les zones d'ombre et de lumière. Soulignez par un trait fin, de même couleur mais plus soutenue, les bords du ruban. Le nœud de couleur pourpre a les bords piquetés de points (3).

1

2

3

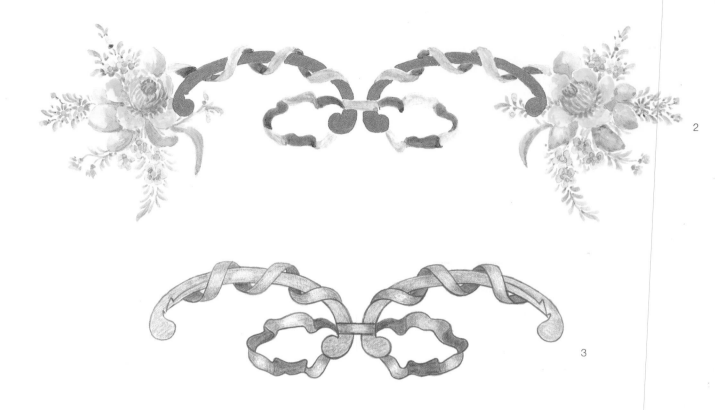

2

3

Réalisation

• Reportez régulièrement le dessin au crayon en sections égales sur le support choisi (1).

• Peignez les bouquets avec les couleurs suivantes : jaune, brun, rouge, violet, vert émeraude, vert feuillage. Commencez par le cœur de la pivoine de couleur rouge, avant de détailler les pétales jaunes.

Ebauchez le ruban en bleu, en accentuant les surfaces opposées à la lumière.
Les volutes sont peintes avec la couleur or (2).

• Ombrez et terminez le bouquet et son feuillage avec les mêmes couleurs que celles utilisées pour l'ébauchage, mais plus soutenues.

Soulignez d'un trait les bords du ruban, au pinceau fin et rehaussez en bleu ses faces internes (3).
(Voir aussi page 40).

1

Chapitre 2

Les différentes possibilités
de décoration

La décoration sur porcelaine et faïence "technique petit feu"

La décoration, peinture sur porcelaine, consiste
à appliquer des couleurs vitrifiables "petit feu"
qui, une fois passées au four électrique "spécial céramique"
entre 680 °C et 820 °C environ, adhèrent à l'émail de la porcelaine.
La peinture se réalise à la main, au pinceau, sur la surface lisse
de la porcelaine ou de la faïence qui sera préalablement nettoyée
à l'alcool à brûler, afin d'enlever toute trace de poussière.

Matériel

• Quelques couleurs en poudre : elles sont conditionnées en sachets ou en pots de 3 à 5 grammes. Choisissez votre gamme de couleurs en rapport avec le motif que vous désirez peindre.
• Un flacon de médium huileux remplaçant la préparation traditionnelle à l'ancienne.
• Un flacon d'essence de térébenthine rectifiée.
• Un carreau émaillé blanc en porcelaine ou faïence, à utiliser comme support pour la préparation des couleurs.
• Une spatule ou couteau à palette pour malaxer les couleurs.
• Un chiffon à nettoyer non pelucheux.
• Un godet en verre pour recevoir l'essence de térébenthine.
• Un crayon gras pour dessiner sur la porcelaine.
• Des pinceaux en martre faits spécialement pour la peinture sur porcelaine *(pour ébaucher, modeler les fleurs et les feuilles, ombrer et exécuter de fins détails)*

Remarque : Nettoyez les pinceaux à l'essence de térébenthine et lavez-les de temps à autre à l'eau tiède avec un peu de savon en faisant attention de ne pas casser ni déformer les poils.
• Des feuilles de papier-calque.
• Du papier carbone noir.
• Un objet en porcelaine ou faïence à décorer *(bol, plat, assiette, bonbonnière, tasse, vase, potiche...)*.

Préparation de la couleur

Déposez la couleur en poudre sur le carreau émaillé blanc, très propre. Ajoutez un peu de médium et triturez cette préparation à l'aide de la spatule.

Si la couleur devient trop épaisse lors de votre travail, ajoutez une goutte d'essence de térébenthine.

Si vous désirez conserver l'excédent de couleurs quelques jours à l'abri de la poussière, utilisez comme récipient une palette de porcelaine à encoches avec couvercle. Au moment de son utilisation, il suffira de le déposer à nouveau sur le carreau émaillé blanc et de le malaxer à la spatule avec de l'essence de térébenthine rectifiée. Pour débuter, réalisez une palette pour vous familiariser avec les couleurs. La coloration à l'aquarelle étant proche de celle de la peinture sur porcelaine, il vous sera ainsi facile de trouver les tons correspondants pour peindre les motifs floraux.

Remarque : Vous pouvez consulter, chez votre fournisseur, le nuancier de peinture sur porcelaine. Il est possible de mélanger les couleurs de peinture sur porcelaine entre-elles à l'exception des oranges et des rouges. Faites des essais.

La cuisson

En ce qui concerne les cuissons, prévoyez un petit four à moufle électrique. Si vous n'avez pas ce four à céramique ,vous pouvez faire cuire vos pièces dans des magasins spécialisés ou dans un centre artisanal *(club de loisirs...)*. La cuisson pour le décor sur porcelaine se fera entre 780 °C et 820 °C et pour la faïence entre 680 °C et 720 °C environ.

L'or

Il est nécessaire pour certaines guirlandes ou la réalisation des filets.
- Un flacon d'or mat de 24 % à 32 % prêt à l'emploi.
- Un diluant pour l'or *(si celui-ci devenait trop épais)*. *Attention :* Trop de diluant risquerait de faire virer l'or au violacé.
- Un gratte-bosse *(brunissoir en fibre de verre)* ou du sable fin pour polir l'or.
- Quelques pinceaux moyens et fins pour le décor des guirlandes.
- Une petite tournette pour réaliser les filets.
- Un pinceau sifflet *(en forme de biseau)* pour tracer les filets.

A noter : L'or est un liquide noir, opaque, précieux ; il prend sa couleur or mat après cuisson. Il faut donc le polir, soit à l'aide d'un gratte-bosse, soit avec le sable à polir légèrement humidifié. Vous frotterez doucement sur la porcelaine à l'aide d'un chiffon doux. L'or rehaussera certains décors. Appliquez-le en fine couche sur la porcelaine pour éviter qu'il ne s'écaille à la cuisson.

Exécution des décors

Deux ou trois cuissons seront nécessaires.

Première cuisson

Elle se fait après l'esquisse à main levée ou à l'aide d'un papier-calque et d'un papier carbone, du motif au crayon *(qui disparaîtra à la cuisson)* et l'ébauche de votre motif à la couleur.

Les fleurs et les feuilles seront modelées à l'aide d'un large pinceau. Appliquez le pinceau avec légèreté en respectant le mouvement des pétales et le sens des feuilles. Donnez-leur du relief.

Les couleurs doivent se fondre les unes dans les autres. Commencez par les parties claires. En cas d'erreur, effacez avec un chiffon. Avant cuisson, tout est permis.

Deuxième cuisson

Avec un pinceau fin, ombrez les pétales et les fleurs par de fines hachures.

Troisième cuisson

Celle-ci sera utile lorsque vous aurez fait des retouches.

La peinture sur bois

L'âge d'or de la peinture sur bois se situe du XVIème au XIXème siècle. Dans cet ouvrage, des motifs romantiques de cette période sont représentés, en particulier le style ancien du XVIIIème siècle, peint de façon naturaliste. Ces exemples peuvent être reproduits sur toutes sortes d'objets.
Aujourd'hui, vous trouverez facilement dans le commerce, des boîtes, des coffres, des tabourets, des plateaux, des commodes, des buffets... Ce choix spécialement prévu pour être peint, est vaste. Il est également possible de décorer des portes de placards, ou des panneaux en contre-plaqué qui peuvent servir de support pour un tableau. Ce support peut être également en plastique, ce qui donne de vastes possibilités pour la décoration. Les coloris proposés sur les modèles peuvent être modifiés selon vos goûts personnels. Vous pouvez décorer les meubles en bois en utilisant de la peinture acrylique, celle-ci permet d'obtenir une décoration plus fine.

Matériel

- De la peinture acrylique à diluer à l'eau ; du décormat spécial, " peinture paysanne ", ou de la peinture à l'huile, à diluer avec de l'essence de térébenthine.
- Des pinceaux larges, moyens et fins.
- Un pinceau brosse pour le fond.
- Du papier-calque.
- Du papier carbone jaune ou blanc.
- Un carreau de faïence à utiliser comme palette pour déposer vos couleurs et les mélanger.
- Du papier de verre à grain fin *(pour poncer le bois)*.
- Un flacon d'huile de patine pour la peinture sur bois *(prêt à l'emploi, d'un ton d'ombre brûlée, qui donnera un aspect ancien)*.
- Un vernis satiné pour protéger le bois et lui donner un beau fini *(ce vernis incolore est à base de résine synthétique, résistant à l'eau et aux intempéries)*.
- Une spatule.
- Un chiffon.

Réalisation

- Poncez soigneusement le bois au papier de verre afin de rendre la surface réceptive à la couleur.
- Appliquez selon votre goût, une couleur de fond unie sur toute la surface de votre support en fonction du motif choisi, ou laissez tout simplement le bois veiné clair et brut.
- Reportez le motif sur le papier-calque, qui sera ensuite positionné avec le papier carbone jaune, sur le support à décorer *(que vous aurez préalablement fixé avec du scotch)*. Retracez ce motif en utilisant une pointe sèche ou un vieux stylo bille.
- Procédez à l'application de la peinture de votre choix *(attention, la peinture acrylique sèche très rapidement)*. Lavez vos pinceaux régulièrement pendant le travail.
Voici quelques couleurs qui vous serviront pour la réalisation des modèles : jaune moyen, rouge vermillon, brun foncé, pourpre rose, violet, lilas, rose pastel, bleu azur, bleu foncé, gris, vert sapin, vert olive, vert jaune, vert antique, blanc...
- Laissez bien sécher votre réalisation avant de passer à l'étape suivante.
- Si vous désirez donner un aspect "ancien" à votre modèle, il est conseillé d'atténuer les couleurs vives en appliquant avec un chiffon doux de l'huile de patine brune que vous étalerez en mouvements circulaires.
- Après avoir laissé sécher quelques jours votre réalisation, il est recommandé de protéger la coloration avec un vernis satiné, ou en frottant à l'aide d'un chiffon doux à plusieurs reprises, avec de l'encaustique incolore.

La céramique à froid

Les objets décorés avec des couleurs céramiques à froid, (couleurs ne nécessitant pas de cuisson) ne peuvent être utilisés qu'en tant qu'objets de décoration. La couleur étant simplement appliquée sur le support, elle ne résiste pas à des manipulations normales de vaisselle et tout contact alimentaire est à éviter. Les objets en céramique (faïences, porcelaines) seront des carreaux de faïence, des vases, des potiches, des grands plats décoratifs...
Vous avez le choix entre la couleur céramique à froid, à l'eau (à diluer à l'eau), et la couleur céramique à froid à base de solvant (à diluer avec du white-spirit).

Une fois votre décor terminé, ces couleurs sècheront en 24 heures.

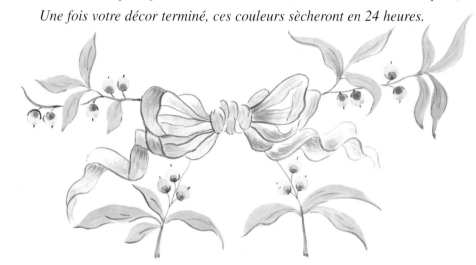

Matériel

- Un chiffon pour nettoyer.
- Des pinceaux larges, moyens et fins.
- Deux carreaux de faïence pour vos essais et vos mélanges.
- Des couleurs céramique à froid : or, violet clair, rose, bleu ciel, jaune, rouge vermillon, vert pré, violet d'Egypte, vert émeraude, bleu foncé, sienne brûlée, brun havane.
- Un crayon gras pour dessiner sur la céramique.
- Du papier-calque pour reporter le motif.
- Du diluant *(white-spirit).*

Réalisation

- Esquissez légèrement au crayon gras, à main levée ou par décalque votre motif *(les traits de crayon gras resteront visibles s'ils ne sont pas recouverts de couleur).*
- Appliquez la couleur céramique à froid sur votre composition. Cette couleur étant assez épaisse, vous pourrez la diluer avec de l'eau ou du white-spirit selon la peinture utilisée. Les couleurs se mélangent très bien entre elles.
- Laissez sécher.
- Certaines parties du motif peuvent être retouchées ou accentuées en appliquant une deuxième couche de couleur.

L'aquarelle et la gouache

*Les motifs délicats et minutieux de cet ouvrage
ont été réalisés à l'aquarelle.
Cette technique se caractérise par la transparence
et la luminosité de ses couleurs
qui doivent être délayées avec de l'eau.
Le fini et la précision des motifs, comme par exemple
les fleurs, les feuillages... peuvent être également
obtenus à l'aquarelle et à la gouache.
Veillez à utiliser la gouache en petite quantité ;
elle est opaque et couvre davantage que l'aquarelle.
Les couleurs utilisées pour l'aquarelle
sont conditionnées en tubes ou en godets.*

Matériel

• Une boîte de couleurs pour l'aquarelle extra-fines, en demi-godets. Ces couleurs s'achètent aussi à l'unité. Il est préférable d'utiliser des couleurs en godets ; elles résistent bien dans le temps et permettent de réaliser une gamme très étendue de couleurs avec quelques couleurs de base.

Les couleurs nécessaires pour la réalisation des décors sont les suivantes : jaune de cadmium, rouge de cadmium, rose alizarine, violet de cobalt, violet winsor, bleu azur de cobalt, bleu permanent, vert véronèse, vert de Hooker foncé, turquoise de cobalt, terre d'ombre, sépia et gris de Davy.

Avec ces couleurs de base, vous pouvez faire vos propres mélanges. Pour bien maîtriser ces derniers, constituez un nuancier en étudiant le résultat obtenu suivant les proportions mélangées.
• Un buvard ou de l'essuie-tout pour absorber l'excédent d'humidité.
• Un chiffon pour nettoyer les pinceaux.
• Un récipient d'eau séparé, pour le nettoyage des pinceaux.
• Un godet en verre rempli d'eau propre, pour humidifier le pinceau qui servira à délayer la couleur.
• Une petite éponge pour humidifier certaines parties du papier.
• De très bons pinceaux à aquarelle en poil de martre : un large, un moyen et un fin pour les détails.
• Une palette en plastique blanche pour poser et mélanger les couleurs.
• Un bloc de papier spécial pour aquarelle. Il existe différentes qualités de grain. Pour les motifs fins et précis, utilisez le grain satiné ou lisse.
• Du papier calque pour relever avec précision les motifs de cet ouvrage.

Réalisation

Il existe plusieurs techniques d'application de la couleur sur papier. Vous trouverez deux techniques utilisées pour les compositions de cet ouvrage.

Quelques notions concernant la classification des couleurs

Les trois couleurs pures, qui ne résultent d'aucun mélange, sont les primaires, c'est-à-dire, le bleu *(cyan)*, le rouge *(magenta)* et le jaune.

Additionnez ces trois couleurs, vous obtiendrez le noir. Viennent entre ces trois primaires, les trois couleurs secondaires. Elles sont le mélange de deux couleurs primaires.

- rouge + jaune = orange
- rouge + bleu = violet
- bleu + jaune = vert

Les mélanges de couleurs primaires et secondaires donnent une gamme infinie de couleurs dites tertiaires.

Exemple :

On obtient un brun en mélangeant du rouge primaire, de l'orange et du violet.

On obtient un vert olive en mélangeant du violet et du vert.

Technique mouillé sur mouillé

Humidifiez d'abord avec une éponge les surfaces à travailler *(pétales de fleurs, grandes feuilles)*.

Appliquez ensuite la couleur diluée à l'aide d'un pinceau large, elle se diffusera facilement sur la surface humide du papier. Tant que cette surface restera humide, les couleurs se mêleront les unes aux autres. Laissez bien sécher avant de passer à la technique suivante pour les détails.

Technique mouillé sur sec

A l'inverse de la technique précédente, appliquez la couleur humide à l'aide d'un pinceau fin directement sur le papier sec. Ce principe convient particulièrement pour peindre les détails demandant une certaine finesse, la couleur ne se diffusant pas en dehors de la surface couverte par le pinceau.

Attention : L'aquarelle sèche très rapidement. Elle demande une certaine rapidité dans l'exécution du travail et ne tolère aucune hésitation, toute erreur pouvant être difficilement corrigée.

A noter : Pour obtenir de belles nuances dégradées, éclaircissez les couleurs en ajoutant de l'eau. Les contrastes de l'aquarelle s'obtiennent en peignant d'abord les surfaces claires, puis les tons plus soutenus.

Chapitre 3

Les motifs aquarellés
accompagnés de dessins
et d'un bref historique

Rubans et nœuds

Inspirés de céramiques du XVIIIème siècle,
ces décors de nœuds et de rubans
sont très représentatifs du style Louis XVI.

Applications

Aquarelle et gouache : ces motifs sont idéaux pour la décoration de cartes de vœux, d'anniversaire, d'invitation, de remerciement, pour accompagner vos souhaits écrits, une lettre de baptême, de fiançailles, ou des marques-places pour un déjeuner de fête.

Remarque : pour le décor sur papier, prendre une variété à grain fin.

Peinture sur bois : ronds de serviette, coquetiers, meubles de poupées ...

Peinture sur verre : pots, flacons de parfums, verres.

Broderie : napperons, serviettes...

Peinture sur porcelaine ou céramique à froid : pour la peinture sur porcelaine et la céramique à froid, vous trouverez dans le commerce un très grand choix de petits objets : bonbonnière, assiette à dessert,...
Vous pouvez, au centre d'un médaillon floral, prévoir des initiales.

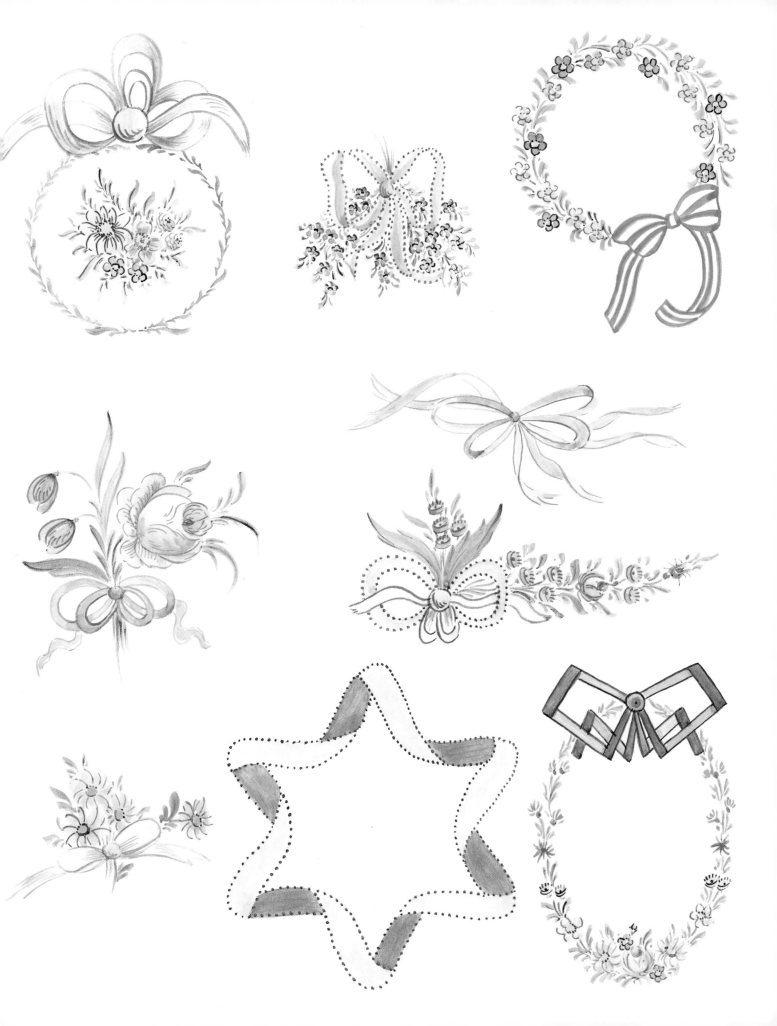

*Ces délicats modèles décoratifs de style XVIIIème siècle
peuvent être traités de différentes manières.*

Applications

Peinture sur porcelaine : bijoux, broches, pendentifs, petites boîtes à pilules, bonbonnières rondes, ovales, carrées... Le semis de bouquets miniatures aux petites roses agrémentées de fleurettes, sera du plus bel effet sur un service à thé.
Un bouquet ornera à merveille le médaillon d'une tasse à café, un petit pot, un vase...
Les guirlandes seront de parfaite composition, pour les bords d'une assiette ou le pourtour de boîtes.

Peinture sur verre : carafe, verre de table, flacon...

Broderie : dessous de verre, mouchoirs...

Remarque : vous pouvez utiliser certains motifs pour peindre des œufs, à l'aquarelle, à la gouache ou à l'encre de chine noire, si vous stylisez le décor.
Avant de peindre la coquille de l'œuf, nettoyez-la avec du détergent ou du vinaigre blanc.

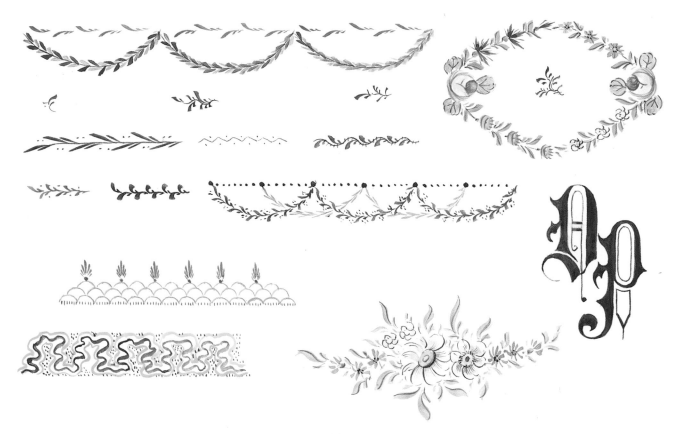

Frise polychrome à collier d'or

Ce séduisant galon est de style XVIIIème siècle. Les arabesques de feuilles stylisées mauves, entrelacées de fines marguerites aux feuillages vert et jaune, ont comme base un galon en forme de collier aux perles d'or avec fleurons.

Applications

Peinture sur porcelaine : vase rond, tasse...

Pour les techniques suivantes, simplifiez la frise *(voir dessin ci-dessous)* en utilisant le galon sans le rehaut d'or.

Aquarelle, gouache : bordure de lettre.

Broderie : mouchoirs, draps...

Peinture sur bois : décor d'un plateau, tiroirs d'un meuble...

Guirlande de fleurs entrelacée d'un ruban

Cette composition est de style Sèvres.

Applications

Peinture sur porcelaine : ce travail exige une grande régularité dans sa préparation géométrique et répétitive, sur le tour d'une tasse, d'un bol ou encore d'une corbeille à fruits.

Le galon de bordure se compose de traits verticaux hachurés. L'espace des entrelacs est parsemé d'un semis de petits points d'or disposés en "œils-de-perdrix".

Peinture sur bois : décoration d'un cadre en bois, frise murale *(voir dessin ci-dessous)*.

Bref historique de la manufacture de Vincennes-Sèvres

En 1738, la manufacture de porcelaine était installée à ses débuts, dans le château de Vincennes. En 1753, les locaux de Vincennes étant trop petits, la fabrique déménagea à Sèvres, se rapprochant ainsi de la Cour et de Madame de Pompadour, qui habitait alors le château de Bellevue. Le roi, cédant aux instances de Madame de Pompadour, prit sous sa protection la fabrique "Manufacture royale des porcelaines de France", pour devenir en 1759 entièrement propriété royale.

Cette manufacture, grâce à ses porcelaines d'une grande beauté, était un des fleurons de la grandeur artisanale française. Elle servit de modèle à beaucoup d'autres manufactures françaises et européennes.

Madame de Pompadour, protectrice des Arts, était fascinée et passionnée par la production de la porcelaine dont les décors y étaient très élégants et raffinés. Son legs, constitué de pièces d'une extrême finesse, fut réuni dans les musées d'Arts nationaux.

C'est à l'un des grands spécialistes de la couleur, Hellot, que revient le mérite d'avoir découvert les magnifiques couleurs de Sèvres : en 1749, le bleu foncé, en 1752, le bleu clair, le bleu céleste, un vert, un gris et le rose Pompadour. A Sèvres, chaque peintre était spécialiste d'un sujet : les fleurs, les oiseaux, les fruits, ou encore les paysages.

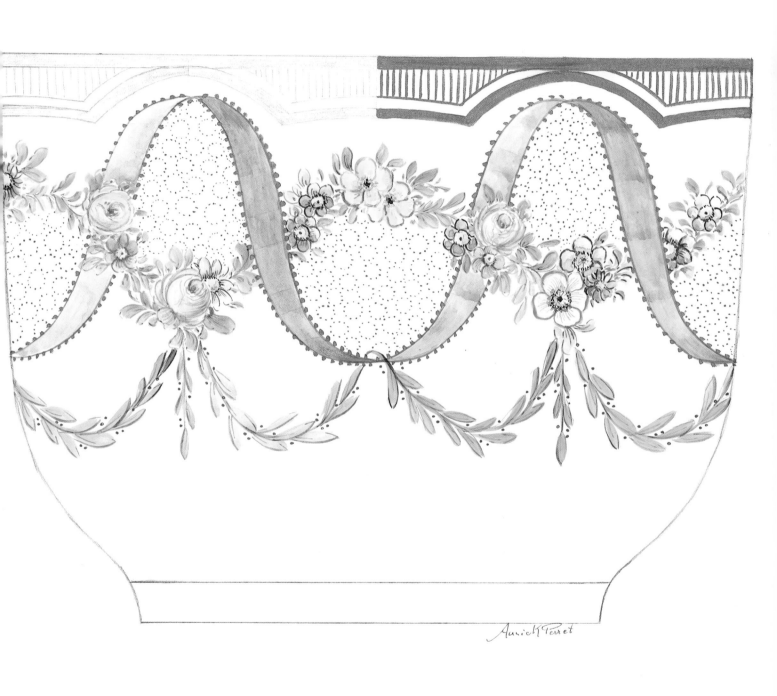

Entrelacs de guirlande d'or et de fleurs

Ravissante guirlande de roses et de fleurettes ornées d'arabesques d'or, style "Vieux Paris" 1770-1850

Bref historique de la manufacture "Vieux Paris"

À la fin du XVIIème siècle, plus d'une vingtaine de manufactures étaient recensées à Paris et dans ses environs. La vaisselle y était richement décorée et on y copiait librement tous les décors de Vincennes-Sèvres.

Quelques manufactures importantes

- Manufacture du Faubourg Saint-Denis ou manufacture du Comte d'Artois *(1771-1835)* fondée par Pierre-Antoine Hannong.

- Manufacture de la rue de Clignancourt ou manufacture de Monsieur, Comte de Provence.
(1770 fin du XVIIIème siècle), fondée par le frère du futur roi Louis XVIII.

- Manufacture du Petit-Carroussel *(1774-1800)*.

- Manufacture de la rue de Thiroux ou Fabrique de la Reine.
(1776 jusqu'à la seconde moitié du XIXème siècle).

- Manufacture de la rue de Bondy
(1780 fin du XVIIIème siècle).
Importante petite manufacture parisienne patronnée par le duc d'Angoulème.

- Manufacture de la rue Popincourt
(1782 fin du XIXème siècle).

Applications

Peinture sur porcelaine : tasse, bol, soupière, pied de lampe....

Aquarelle, gouache : décor sur papier, carte d'invitation...

Broderie : nappe...

Peinture sur bois : bord d'un coffret...

Remarque : Utilisez les volutes de la frise pourpre et or séparément comme ornement.

Ruban en spirale avec bouquets

*Les deux bouquets (style Zürich) étoffés d'une pivoine et de fleurettes reliées
par un ruban en spirale forment un nœud sur des volutes d'or.*

Applications

Peinture sur porcelaine : vase...

Peinture sur bois : meubles...

Aquarelle et gouache : souhaits de baptême, de mariage, bordures de lettre...

Bref historique de la manufacture de Zürich, Suisse

La manufacture aurait été fondée vers le milieu du XVIIIème siècle *(1763)* par d'honorables citoyens zurichois, pour procurer du travail à des handicapés.

Zürich prendra ensuite une place importante dans la fabrication de la porcelaine et de la faïence.

Les ouvriers peintres se composaient d'artistes chevronnés venus d'Autriche *(Vienne)*, de Suisse, de France *(Lunéville)*, d'Allemagne *(Ludwigsburg)*.

Les décors zurichois comptent parmi les meilleures peintures créées par les fabriques de porcelaine, au cours de la seconde moitié du XVIIIème siècle.

Ces décors sont inspirés des styles germaniques et français de l'époque.

En 1768, on vendait de la faïence sur la place de la cathédrale de Zürich, où on y avait loué une voûte appelé "unter der Meise".

Après sa liquidation, la manufacture fut achetée en 1792 par Mathias Neeracher, qui se borna à fabriquer de la faïence dans le style du XIXème siècle, décorée de guirlandes de fleurs.

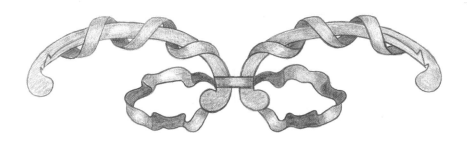

Décor floral en forme de nœud

Large bordure (style Zürich) comprenant des bouquets où se marient la rose,
la pensée et le volubilis accompagnés de fleurettes. Ces fleurs s'enroulent sur des volutes
entrelacées d'une tige dorée filiforme. Le tout est disposé en nœud.

Applications

Peinture sur porcelaine : grand plat rond, bonbonnière ovale...

Aquarelle et gouache : carte de vœux, de souhaits...

Peinture sur bois : coffret ovale.

Bouquet à l'iris

*Bouquet (style Zürich) allongé à l'iris épanoui, entouré de petites roses jaunes,
liserons bleus, marguerites, campanules...*

Applications

Peinture sur porcelaine : vase, plat, boîte
ronde *(pour l'iris stylisé)*.

Peinture sur bois : panneaux de placards,
porte de buffet...

Peinture sur soie, tissu :
coussin, écharpe.

Aquarelle et gouache :
quelques petites fleurs stylisées
décoreront discrètement
un faire-part de mariage.

Rinceau de fleurs avec ruban

*Cette bande fleurie (style Zürich) s'entrelace autour d'un ruban mauve
et jaune accompagné d'une succession de points.*

Applications

Peinture sur porcelaine : bord d'un plat, assiette...

Peinture sur bois : en frise sur le cadre d'un miroir.

Aquarelle et gouache : cartes d'invitation.

Deux bouquets à la tulipe

Tulipes ouvertes, jaspées de jaune, gris et rouge pour l'une, pourpre, violet, jaune et gris pour l'autre, avec leurs longues feuilles très légèrement enroulées, accompagnées de fleurettes. Ces décors sont de style "Vieux Berlin".

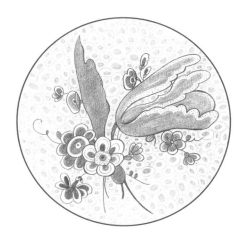

Bref historique de la manufacture de Berlin

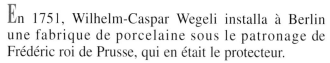

En 1751, Wilhelm-Caspar Wegeli installa à Berlin une fabrique de porcelaine sous le patronage de Frédéric roi de Prusse, qui en était le protecteur.

Après des difficultés financières de ses propriétaires successifs, la manufacture fut rachetée par le roi de Prusse en 1763, qui fut lui-même le meilleur client de sa fabrique. Il envoyait des cadeaux de porcelaine dans le monde entier. Très perfectionniste, il accordait une prime spéciale pour tout travail bien réussi, ce qui est à l'origine de la très haute qualité des porcelaines de Berlin.

Les modèles provenaient des manufactures étrangères, notamment de celles de Meissen et de Sèvres qui étaient d'une remarquable beauté. Malgré les deux guerres mondiales, la manufacture, aujourd'hui propriété de l'État allemand, travaille encore avec beaucoup de succès.

Applications

Peinture sur porcelaine : vaisselle, carreaux...

Broderie : mouchoirs, draps, napperons...

Gravure sur verre : vase...

Remarque : les dessins des bouquets à la tulipe sont stylisés et pourront être peints en monochrome.

Nœud fleuri

*Tiges filiformes qui s'entrecroisent en forme de nœud, agrémentées de fleurs
et de feuillages, notamment de roses rondes épanouies et de fleurs des champs.
Ce motif décoratif est de style Saint-Clément, vers 1780.*

Applications

Peinture sur faïence ou sur porcelaine : grand plat ovale.

Broderie : coussins.

Peinture sur bois : décor de panneau, berceau, porte d'armoire, coffre.

Bref historique de la manufacture de Saint-Clément en Lorraine

Cette manufacture fut créée par Jacques Chambrette, qui était également propriétaire de la faïencerie de Lunéville en 1757. Sous sa direction, il s'y développa une faïence élégante, de coloris et de composition d'une extrême finesse.

Après sa mort en 1758, ses héritiers vendirent Saint-Clément à Richard Mique, architecte de Marie-Antoinette, résidant à Versailles.
Sous son impulsion, Saint-Clément s'adapta au goût de l'époque, style Louis XVI.

Les décors de fleurs, peints sur faïence, sont d'une exécution très fine et s'inspirent des modèles de Sèvres et de Sceaux.

Guirlande florale

Guirlande à la rose ronde, étoffée avec opulence de différentes fleurs avec leurs feuillages
(marguerite, œillet, myosotis, tulipe, anémones, petites roses ...)
aux couleurs éclatantes (Style Saint-Clément).

Applications

Peinture sur porcelaine ou faïence : grands plats.

Peinture sur bois : panneau, décoration de porte.

Broderie : parure de lit, nappe.

Le dessin stylisé ci-contre conviendra
pour la décoration d'une bonbonnière de forme ronde,
pour le centre d'une assiette ou d'une soucoupe...

Guirlande en forme de cœur

Médaillon au ruban parme, complété d'un nœud étoffé de fleurs
et, agrémenté d'une guirlande de fleurettes avec leurs feuillages en forme de cœur.
Style Lunéville d'après une faïence de 1790.

Applications

Aquarelle ou gouache : faire-part de baptême,
de mariage.

Peinture sur bois : coffre.

Bref historique de la manufacture de faïencerie de Lunéville

Vers 1720, à l'époque où Lunéville était surnommé le petit Versailles, grâce à la beauté de son château, un céramiste, véritable chef d'entreprise, Jacques Chambrette, fonda une faïencerie et, obtint les lettres de franchises en 1731 par le duc de Lorraine, François III.

Sous le mécénat du beau-père du roi Louis XV, Stanislas le magnifique, roi détrôné de Pologne, cette faïencerie obtint de la cour d'importantes commandes. Lunéville pratiqua le décor floral, dans le style de Strasbourg et de Niderviller.

Bouquet au vase

*Bouquet présenté dans un vase, se composant d'une rose, d'une tulipe,
d'une pivoine, de mourrons et de myosotis avec leurs feuillages.
Style Aprey en Champagne.*

Bref historique de la manufacture de faïence d'Aprey

En 1744, Jacques Lallemant de Villehaut, Seigneur d'Aprey, fonde une faïencerie dans ce petit village.

En 1760, il s'associe avec son frère Joseph, de retour de Saxe, où il avait pris connaissance des décors sur porcelaine. Ils décidèrent d'améliorer la qualité de la fabrication et introduisirent la technique de petit feu.

Le peintre itinérant d'origine suisse, Pidoux, qui travaillait auparavant à Mennecy, fut l'auteur d'un système décoratif floral à la manière de la Saxe.

Les fleurs sont réparties en gros bouquet.
Le décor à la tulipe a été l'un des thèmes favoris d'Aprey.
A partir de 1766 se développe "le type fin" plus élégant mais moins réaliste.

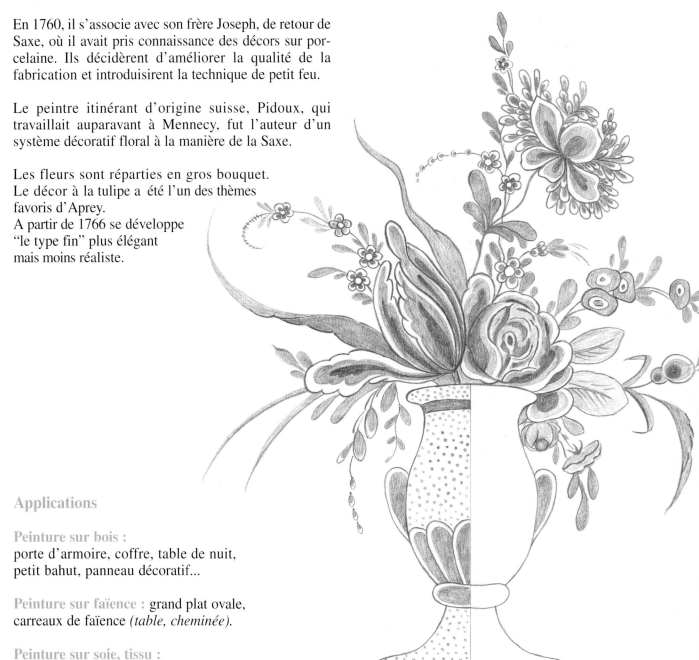

Applications

Peinture sur bois :
porte d'armoire, coffre, table de nuit, petit bahut, panneau décoratif...

Peinture sur faïence : grand plat ovale, carreaux de faïence (table, cheminée).

Peinture sur soie, tissu :
nappe, panneaux ...

Fleurs au naturel

Bouquet étalé, composé au centre de trois fleurs accolées, (rose, anémone, hortensia), d'où s'échappent du bout de leurs longues tiges feuillues, liserons, roses violettes et tulipe. (Style Chantilly).

Applications

Peinture sur porcelaine : grand plat rond, vase, bonbonnière...

Peinture sur soie ou tissu : coussin...

Broderie : nappe, parure de lit...

Peinture sur bois : dessus d'un coffret à bijoux...

Aquarelle ou gouache : les dessins stylisés page 58 seront utilisés pour des bordures de lettres, cartes d'invitation, de vœux...

Bref historique de la manufacture de Chantilly

En 1725, Louis-Henri de Bourbon, grand amateur d'art, prince de Condé, installe à Chantilly une manufacture de porcelaine tendre. Il en confie la direction au décorateur Sicaire Cirou, qui avait acquis ses connaissances à Saint-Cloud. Jusqu'en 1800, la fabrique changea huit fois de propriétaire et de directeur.

Ce décor floral est composé de fleurs fines polychromes. Il date certainement de la troisième période *(1760-1801)* Peyrard et ses successeurs.

Dessins stylisés d'après «Fleurs au naturel» de la page 56.

Bouquet au ruban bleu

Ce large bouquet touffu (style Strasbourg) est serré par un ruban.

Applications

Peinture sur porcelaine et faïence : un grand vase.

Peinture sur bois : porte de buffet, panneau décoratif.

Broderie : coussins.

Fleurs retenues par un nœud

Bouquet de fleurs aux tiges filiformes agrémentées de leurs feuillages se composant d'une anémone double, d'une tulipe, de narcisses jaunes et de liserons, noués par un ruban bleu. (Style Strasbourg).

Applications

Peinture sur porcelaine ou faïence : vase, plat...
Le dessin stylisé conviendra pour une bonbonnière *(voir page 62)*.

Peinture sur bois : porte d'armoire, coffre...

Peinture sur tissu, soie : nappe, coussin...

Gouache ou aquarelle : reprendre une seule fleur ou le nœud, pour décorer une carte d'invitation, de vœux...

Narcisse, giroflées, chrysanthème

*Bouquet floral aux longues tiges feuillues réunissant un narcisse épanoui,
des giroflées et un chrysanthème. (Style Strasbourg).*

Applications

Peinture sur porcelaine ou faïence : grand plat,
vase...

Peinture sur soie, tissu : coussin, nappe, foulard...

Peinture sur bois : le large motif stylisé du haut
de la page 65 conviendra pour un décor mural.

Dessins d'après «Narcisse, giroflées, chrysanthème» (page 62).

Bordure de fleurs stylisées d'après «Bouquet au ruban bleu» (page 59).

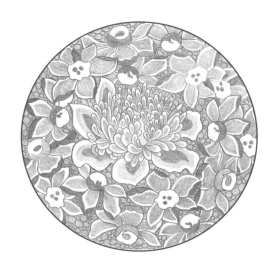

Bref historique de la manufacture de Strasbourg

Cette prestigieuse manufacture de faïence, appartenant à la famille Hannong, dura une soixantaine d'années.

Elle fut fondée par Charles-François Hannong vers 1724, intéressé par la fabrication d'une céramique de luxe pour une clientèle bourgeoise.

Bien avant cette époque, vers 1710, Charles-François Hannong était fabricant à Strasbourg, de poêles et de pipes en poterie.

Son fils, Paul Hannong, prendra la direction de la fabrique vers 1732. C'est Löwenfinck, un transfuge de Meissen, qui introduisit, vers 1749 dans cette manufacture, la technique du petit feu, déjà utilisée dans la fabrique de Höchst en Allemagne ainsi que la création des merveilleux bouquets polychromes, inspirés des motifs saxons, peints et ombrés, avec une extrême minutie.

Après 1750, il y eut un véritable engouement pour les bouquets de fleurs qui atteignit son apogée vers 1770.

D'autres artistes de talent tel que Anstett, cité à la manufacture de Niderviller et que nous reverrons par la suite à Chantilly, collaboreront.

Joseph Hannong poursuivra l'œuvre de son père.

Des difficultés financières l'obligeront à mettre fin à son entreprise et à s'enfuir à Munich en 1781, pour échapper à ses créanciers.

Bouquet à la pivoine et à la tulipe

*Ravissant bouquet polychrome, luxuriant,
à la pivoine et à la tulipe, jaspé de jaune et de gris.
Il est traité avec beaucoup de finesse. (style Meissen vers 1740-1750).*

Applications

Aquarelle ou gouache : une des fleurs du motif floral pourra être utilisée pour créer une bordure qui décorera une lettre de baptême...

Peinture sur porcelaine, faïence : vase, potiche, plat, pied de lampe.

Peinture sur bois : porte de placard.

Peinture sur tissu, soie : coussin, panneau décoratif, foulard, napperon.

Bref historique de la manufacture de Meissen

La découverte du kaolin en Saxe, dans la région d'Aue, ainsi que l'invention de la fabrication de la porcelaine par J.F. Böttger, sont à l'origine de la création de la première de toutes les manufactures de porcelaines en Europe : Meissen.

C'est vers 1709 que cette manufacture de porcelaine dure fut créée dans le château d'Albrecht à Meissen par Frédéric-Auguste, Électeur de Saxe.

La magnifique palette de couleurs de Meissen doit sa création à Johann-Gregor Hoeroldt qui, après un bref séjour à Strasbourg et à Vienne *(Autriche),* fut engagé à Meissen en 1720. Cette palette se compose d'un brun foncé, vert clair, bleu, pourpre et rouge de fer.

L'un des plus importants artistes de la manufacture de Meissen fut Adam-Friedrich Löwenfinck. Il peignit les magnifiques fleurs polychromes qui remplacèrent les fleurs à la chinoise dans la décoration des services de table. S'enfuyant de la manufacture de Meissen, il fonda en 1745, la manufacture de porcelaine de Hoechst et, par la suite, alla s'établir à Strasbourtg-Hagenau où il devint directeur de la faïencerie de l'endroit.

Aux environs de 1740, on procède au renouvellement des décors floraux. C'est à cette époque qu'apparaissent les premières fleurs à l'allemande semblables à celles que l'on voit sur les tableaux hollandais du XVIIème siècle et c'est après 1750 que la préférence ira aux fleurs naturelles des champs et des jardins.

C'est au cours de l'invasion de la Saxe, pendant la guerre de sept ans *(1756-1763)* par Frédéric le Grand, roi de Prusse, que la manufacture de Meissen subit de graves atteintes qui menacèrent son existence. Ses ouvriers et ses créateurs furent contraints de partir pour s'installer dans la manufacture de porcelaine de Berlin qui en était à ses débuts.

La manufacture de Meissen qui, jusqu'à cette époque avait donné le ton de la créativité des porcelaines européennes, fit appel à un créateur, le sculpteur parisien, Victor Acier. Sous son influence, un nouveau style similaire à celui de Sèvres, se développa. Les porcelaines d'avant cette époque sont toujours les plus recherchées.

Bouquet librement disposé

*Les fleurs de style Meissen, jetées en bouquet naturaliste
iris, œillets, tulipe, anémone, liserons,
débordent d'une richesse de détails et de couleurs.*

Applications

Peinture sur porcelaine et faïence : une bonbonnière
ronde, un plat à gâteau, un grand plat mural, un vase.

Peinture sur bois : porte d'armoire,
de coffre.

Peinture sur tissu : nappe...

Composition florale à la tulipe

Bouquet de style Meissen, serré, allongé, traité avec délicatesse
dans sa coloration et avec rigueur dans sa disposition.

Applications

Peinture sur porcelaine et faïence : vase...

Peinture sur bois : coffre, porte d'armoire.

Peinture sur tissu : nappe...

Le narcisse

*Ce narcisse est de style "fleurs allemandes", du XVIIIème siècle,
qui s'inspire de planches botaniques allemandes du XVIIème siècle.*

En vous détachant du modèle classique, vous pouvez
interpréter selon votre goût et de différentes façons,
les fleurs qui seront représentées naturelles
ou stylisées. *(voir les dessins ci-dessous).*

Applications

Tous supports.

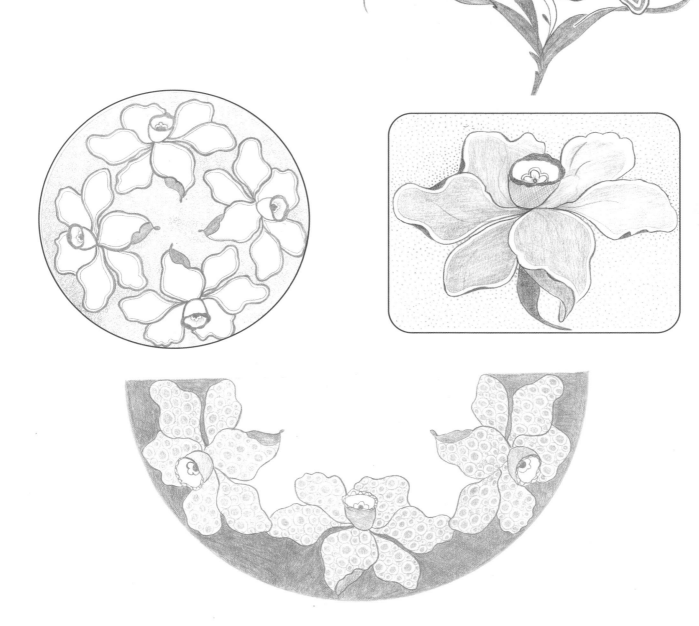

L'iris

L'iris est de style de manufacture "fleurs allemandes" du XVIIIème siècle.
Le motif peut être également interprété d'une façon plus contemporaine. (voir les dessins ci-dessous).

Applications

Tous supports.

Table des matières

Chapitre 1

*L'étude des fleurs, des guirlandes, des rubans
et des nœuds avec leurs conseils techniques*

Chapitre 2

Les différentes possibilités de décoration

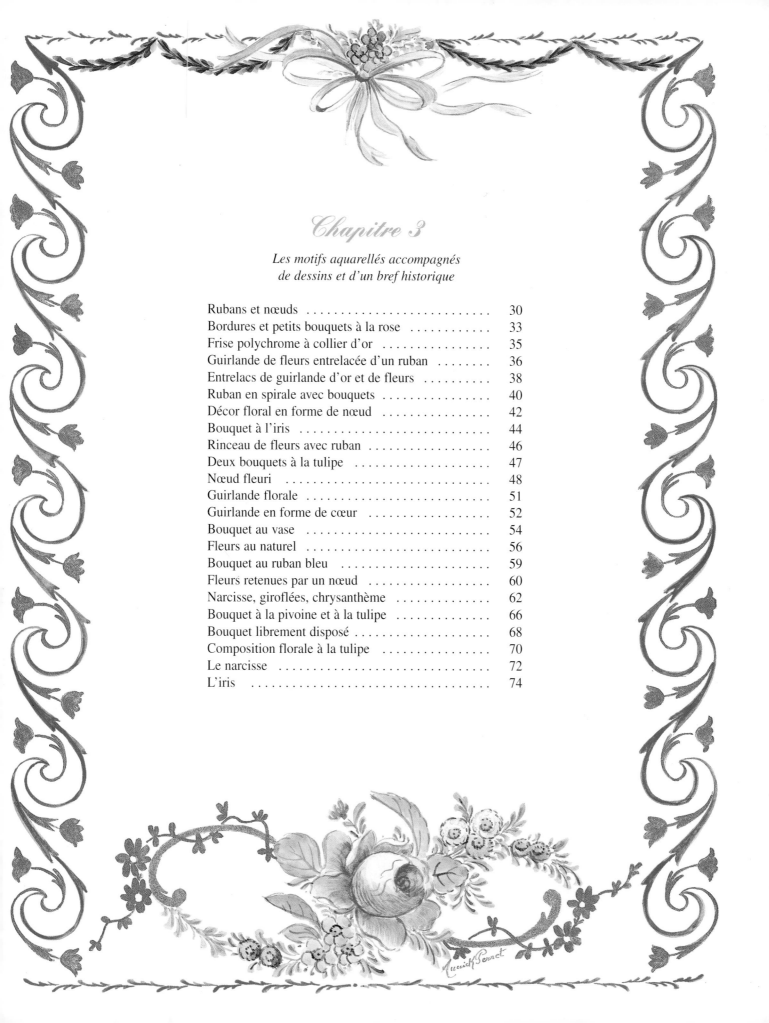

Chapitre 3

Les motifs aquarellés accompagnés
de dessins et d'un bref historique

Vous venez d'acheter cet ouvrage
et nous vous en remercions vivement.

Si vous désirez être tenu au courant des publications,
il vous suffit d'envoyer vos nom et adresse aux :

Éditions Didier CARPENTIER

4, rue Laferrière, 75009 PARIS

Tél. : 01 48 78 00 72   Fax : 01 42 82 91 99

Siège social : 5, rue de Douai 75009 Paris.

© 1996 - Éditions Didier CARPENTIER
Dépôt légal : mai 1997
ISBN 2-84167-011-2 - ISSN 1151-616X
Imprimé par CDPImpression